SNSのモヤモヤとの上手なつきあい方

心理カウンセラー Poche

あさ出版

モヤモヤうさぎ
あれ？メッセージが素っ気ない…。
はい。
じゃあ、
いつも
はーい(笑)
いつもは絵文字やスタンプを使ってくれるのに…。
もしかして怒ってる…？
何か気に触ることしちゃった？
私の返事が遅かったせい？
サヨナラ
イヤイヤ
どうしよう…嫌われたかも！

モヤモヤとら
休日なのに上司から業務連絡が来るのが悩み。
ん、メッセージきた。
既読
18:00
急で悪いんだけど、バナナ支店のお客に電話できる？問い合わせきてたみたいです。
・・・。
私、今日休みなんですけどーー！
返事しなきゃダメなのかな…
既読スルーしたらやばいかな…
またメッセージきたし…。
はぁー
私のきちょうな休みが…
ピコッ
休日なのに、これじゃ全然休まらない！

モヤモヤ
レッサーパンダ
あっ、オススメアイテム紹介してるー！
これ本当に、オススメなの？
¥10,000
誰でもうさ耳カチューシャ #PR
いかにもPRな投稿
オススメ
この間のもイマイチだったし
はくだけ激ヤセ
また失敗したらイヤだなー
ステキめがね
SNSって何を信じていいか分からない…。

モヤモヤうし
SNSでよく見かける誹謗中傷や悪口が苦手…。
ゴリラさんの新しい投稿だー
これって…
!?
ゴリラ @gorilla
白黒模様のアイツ、モーモーないてるし草ばっかり食べててほんと無理ー。
ゴリラ @gorilla
今日のバナナは最高に美味しか
バナナはやっぱり完熟に限る！
私のことだよね…？
白黒
草
そんな風に思ってたなんて…
でも、なんでこんなとこに書くの…？
はっきり言うべき？
こんな時、どうしたらいいんだろう…。

はじめに

こんにちは。心理カウンセラーPoche《ポッシュ》です。

この本を手に取っていただき、ありがとうございます。

家族のこと、パートナーのこと、友達のこと、仕事のこと……私のもとには、毎日たくさんの人が相談に訪れます。特に、ここ数年で増えてきたと感じるのが、SNSについてのご相談です。

この本を手に取ってくれたあなたも、SNSのモヤモヤを抱えているひとりなのではと思います。「どうすればモヤモヤしなくなるだろうか」「こんな時はどうすればいいのだろうか」と悩んだり迷ったり。その答えを探している時に、この本が目に留まった人もいるかもしれませんね。

「モヤモヤうさぎ」のように、「自分が何かしてしまったのかな」と不安になったり、ぐるぐる考え込んでしまうことはありますか？

「モヤモヤとら」のように、仕事での対応に迷ったり、「ああすればよかった」と、過去の対応に後悔することはありますか？

「モヤモヤレッサーパンダ」のように、誰かに嫉妬したり、そんな自分が嫌になることはありますか？

「モヤモヤうし」のように、世の中に対してモヤモヤすることはありますか？


どれか一つでも当てはまるあなたに、私から伝えたいことがあります。

それは、**今、感じているモヤモヤはあなたのせいではない**ということです。

いじめのシーンをイメージしてみてください。いじめで悩むのは、加害者ではなく被害者ですよね。いじめている側は、「なぜ私はいじめてしまうのだろう」とは悩みません。自分が悪いことをしていると自覚していないので、堂々とふるまいます。相手があまりに堂々としているので、「自分が悪いのでは」「我慢するしかない」「自分が変わらなくてはいけないのでは」と、思い込まされてしまうこともあります。

このように**本当は悩まなくていい人たちが、悩まされてしまうという現象がSNSでも起こっています**。本当はそのままでいい人たち、何も悪くない人たちが、モヤモヤを抱えて悩み苦しんでいるのです。

「他人は変えられない。変えられるのは自分だけ」という言葉があります。たしかに、他人は変えられません。いじめの加害者が変わろうとしないのと同じで、あなたをモヤモヤさせてくる「誰か」を変えることは難しいです。でも、だからといって、あなたが変わらなければいけないということはありません。そんなことをしていたら、あなたの人生の主役が「誰か」になってしまいます。あなたの人生の主役は、あなたです。あなたを傷つける「誰か」に譲らないでおきましょう。

なにより、あなたを傷つけるような人のために、自分を変えようと頑張るのはもったいないです。自分を変えなくても、相手と距離を置くだけで解決することもたくさんあります。

この本には「なぜモヤモヤするのか」「モヤモヤしたらどうすればいいのか」ということをテーマごとにまとめました。モヤモヤするほど頑張ってきたあなたが、もうこれ以上悩まずに済むように、ＳＮＳをもっとラクに楽しめるように願っています。

心理カウンセラー　Ｐｏｃｈｅ

第1章

人間関係に関するSNSのモヤモヤ

はじめに 6

1 X（旧Twitter）やインスタのフォローを外されました。私が何かしたせいでしょうか？ 20

2 X（旧Twitter）などで「フォロー整理します宣言」をよくする友達。なんで、そんなことをするんでしょうか？ 26

3 友達や恋人へのLINEが既読になったまま返事がなくて不安です。 30

4 絵文字やスタンプのないメッセージがくると不安になります。 34

5 友達の充実した投稿に嫉妬してしまう自分が嫌です。 38

6 SNSアカウントを作ったり消したりを繰り返す友達にモヤモヤしてしまいます。 42

7 恋人が元恋人とSNSの相互フォローをしているのを見つけてしまいました。 48

8 あまり仲良くない人からフォロー申請がきました。承認しようか悩んでいます。 52

第2章

仕事・職場に関するSNSのモヤモヤ

1 親しくない上司や同僚からフォローされました。フォロー返しするべきでしょうか？ 58

2 業務時間外や休日に、上司からLINEで業務指示が来ます。 64

3 社内チャットですぐにレスをしなければいけないことへのプレッシャーを感じます。 70

4 元同僚や取引先などのフォローを外してもいいですか？ 74

5 業務に関係のない話をやたらとチャットしてくる人がいて困っています。 78

6 上司からメッセージで頻繁に飲み会の誘いが来て対応に困っています。 84

7 上司への返信に、スタンプや絵文字は使ってもいいですか？ 90

8 取引先からLINEの交換を求められたら教えなければいけないでしょうか？ 94

第3章

世の中のできごとに関する
SNSのモヤモヤ

1 他人に対する誹謗中傷コメントを見るとモヤモヤしてしまいます。 100

2 PR投稿されている商品は本当におすすめなんでしょうか？ 104

3 SNSで情報を見極めるのが難しくて、どれを信じていいのか分かりません。 108

4 『暗闇系の投稿』へのリアクションに悩んでしまいます。 112

5 世の中の盛り上がりについていけない私は変ですか？ 116

6 好きな芸能人がSNSを開設していないことにモヤモヤしてしまいます。 120

7 自分の思っていることと違うことが、世の中の正論となっているのを見るとモヤモヤします。 124

8 他人についての事実とは異なる投稿を目にした時にモヤモヤしてしまいます。 128

第4章

自分に関する SNSのモヤモヤ

1 返信のリアクションやスタンプに何を使うか迷ってしまいます。 134

2 友達や知人とのフォロワー数の差に落ち込んでしまいます。 140

3 SNS上に自分の悪口を書かれてしまいました。 144

4 投稿するためにわざわざ行動する自分が虚しくなります。 150

5 メッセージのやり取りをする時は毎回、自分の返信で終わらせなければいけないと思ってしまいます。 154
6 メッセージがきていても、後で確認しようとつい放置してしまいます。 158
7 SNSに投稿された他人の失敗談を見ると嬉しくなってしまいます。 162
8 自分へのコメントやフォローなど、全てに対応しようとして疲れてしまいます。 166
おわりに 170

イラスト　Poche
本文デザイン　岩永香穂（MOAI）
DTP　株式会社ニッタプリントサービス

第1章

人間関係に関する
SNSのモヤモヤ

1

X（旧Twitter）や
インスタのフォローを
外されました。
私が何かしたせいでしょうか？

フォローを外されたと知った時のショックは、とても大きいですよね。自分がフォローしている相手だったり、オフラインでも付き合いのある人が相手だったりしたら、なおさらです。

「なんで外されたのだろうか」と悩むこともあれば、「自分が何かしてしまったのだろうか」と不安になることもあるでしょう。

でも、そんな時こそ、**自分側の原因だけを探さないでおきましょう。**

フォローを外される理由は、あなたではなく相手にあることがほとんどだからです。あなたが何かしたからフォローを外されることよりも、相手側の理由でフォローを外されることの方が圧倒的に多いのです。

例えば、次のような理由でフォローを外されることがあります。

1 人気者に見られたい

フォロワー数を増やす目的で、相手を一時的にフォローしてから、フォローを外します。自分のフォロー数よりもフォロワー数の方が多いと、人気のあるアカウントに見せることができるからです。

2 タイムラインを興味のあるものだけにしたい

フォロー数が多いと情報を追いきれないので、今の自分にとって興味のあるアカウントだけを厳選します。情報を見逃さないようにするため、フォロー数が少なめの傾向が見られます。

3 今の気分に合わない

気分次第でフォローしたり、フォローを外したりします。特に深い理由はなく、その時の気分で行動します。フォローしているメンバーが定期的に変わる人に多い傾向です。

4 かまってほしい

フォローを外すことで、自分に注目してもらおうとしたり、反応してもらおうとしたりすることがあります。

これらはほんの一例ですが、重要なのはどのような理由で相手がフォローを外したのかではありません。

では、なぜ相手がフォローを外す理由について書いたのかというと、あなたのせいでフォローを外されたのではなく、相手の都合でフォローを外されただけなのだということを知ってもらいたかったからなのです。

「自分の投稿がつまらないから外されたのでは」「自分の投稿が良くなかったのでは」と不安になる人もいますが、フォロワー全員から一斉にフォローを外されたのではない限り心配いりません。

あなたの投稿を見ている人や、あなたの味方は必ずいます。

「自分に興味がないから外されたのでは」と落ち込む人もいますが、あなたの価値はそんなことでは決まりません。**たった一人のために、自分の価値を疑わないでおきましょう。**

「ちょっといいな」と思えば気軽にフォローして、「ちょっと違うかも」と思えばフォローをやめる……フォローを頻繁に外す人というのは、そこまで深く考えて行動していないことの方が多いものです。

フォローを外されたとしても、あなたが何か悪いことをしたわけではありませんから、その人のために何もしなくて大丈夫です。

フォローを外されたことにモヤモヤした時には、自分側の原因ばかり考えないでおきましょう。

相手側に理由がある可能性の方が、ずっと高いですから。

2

X（旧Twitter）などで「フォロー整理します宣言」をよくする友達。なんで、そんなことをするんでしょうか？

『1　X（旧Twitter）やインスタのフォローを外されました。私が何かしたせいでしょうか？（20ページ）』で書いた通り、フォローを外すのはその人の自由です。それなのに、なぜわざわざ宣言をするのでしょうか？

それには、3つの理由が考えられます。

1 自分を守るため

フォローを解除した人たちに、攻撃されないための防御手段です。フォロー整理宣言をしておけば、「外されたのはあなただけではありませんよ。怒らないでくださいね」とアピールすることができます。

2 繋がりを確認するため

自分の投稿に反応してくれるのかを知るための確認手段です。「いいね」やコメントなどの反応があれば、自分が必要とされていると実感できるので、定期的に宣言する人もいます。

3 みんながやっていたから

特に深い理由がなく、「みんながやっていたから」という理由で宣言することがあります。

3つの理由をご紹介しましたが、実際のところ、わざわざ宣言をする本当の理由はその人にしか分かりません。

でも、だからこそ、**自分が納得できるような理由を見つけておくことをおすすめします**。それはその方が、あなたにストレスがかからないからです。

とりあえずでもいいので「こういう理由で宣言したのかも」と思っておく方が、早くモヤモヤが消えます。

ただし、ここでお伝えしたいのは「相手にもこういう理由があるのだから、受け入れてあげましょう」ということではありません。理由を知ることと、受け入れることは別です。

宣言をする理由を知ったとしても、「嫌なものは嫌」「不快なものは不快」「理解できないものは理解できない」と、思っていいです。「こんな理由でフォロー整理宣言をしたのかも。でも、やっぱり不快！」「理由は分かったけど、付き合いきれない」と、思ってもいいです。

フォロー整理宣言をする人に理由があるように、あなたにもモヤモヤする理由があります。相手の理由に合わせてあげなくて大丈夫ですよ。

3

友達や恋人へのLINEが既読になったまま返事がなくて不安です。

既読がついているのに返事がないと、無視されたようでモヤモヤしますよね。返事がないのにX（旧Twitter）やインスタには投稿しているのを見れば、「投稿する暇があったら返事くらいしてよ！」と、イライラすることもあるでしょう。

- 忙しくて返事をする時間がない
- どう返事をするか迷っている
- うっかり返事をし忘れている
- 返事をしたくない

このように、相手が既読スルーをする理由はいろいろ考えられますが、答えを知っているのはその人だけです。

では、直接本人に「なんで返事をくれなかったの？」と聞けばいいのかというと、そうとも限りません。

相手が理由を言いにくそうだったり、ごまかされたように感じたりすると、スッキリするどころかますますモヤモヤが膨らんでしまうからです。正直に答えてくれたとしても、「本当かな？」と疑ってしまうこともあります。

だからこそ、相手側の理由について考えるのは、いったんお休みしてみましょう。大切なのは、相手がなぜ返事をしないかではありません。あなたがどうしたいかです。

どうしても返事がほしい時には、もう一度メッセージを送ってみるのもいいでしょう。送る理由は、「返事がほしいから」「返事がないから」で十分です。

自分から何度もメッセージを送るのはちょっと……という場合には、相手のインスタやX（旧Twitter）の投稿にリアクションする方法があります。

相手がうっかり返事をし忘れている場合には、自分の投稿にあなたからの反応があることで思い出してくれます。相手が意図的にメッセージを返していない場合には、「自分の投稿にはリアクションしてくれているのに、自分は無視をしているようで申し訳ない」という心理が働きやすくなります。

いずれにせよ、あなたからわざわざ催促しなくても、返事をしてくれる可能性が高くなります。

状況に合わせて、あなただけが我慢しなくて済む方法を試してみてくださいね。

4

絵文字やスタンプのない
メッセージがくると
不安になります。

絵文字やスタンプのないメッセージが届くと、「自分が何かしたのだろうか」「怒らせてしまったのだろうか」と、不安になる人が増えています。

でも実は、みんなが不安になるわけではありません。絵文字やスタンプがなくても、全く気にならない人もいます。

……とお伝えすると、気になるのが悪いことで、気にしないのがいいことのように聞こえるかもしれませんが、そんなことはないのですよ。

気になるかどうかの差は、普段から絵文字やスタンプを使うかどうか、さらにはどんな理由で使うかどうかだけです。**性格や考え方のせいで、不安になるわけではありません。**

不安になりにくいのは、普段から絵文字やスタンプをあまり使わない人たちです。自分自身が基本的に使わないので、相手から文章だけのメッセージが届いても、なんとも思いません。

反対に不安になりやすいのは、普段から相手を気遣い、感情表現の一つとして絵文字やスタンプを使っている人たちです。

その人たちにとっては、絵文字やスタンプは感情表現の一つなので、絵文字やスタンプのないメッセージがくると不安になります。笑顔一切なし、真顔で淡々と対応されているかのような、なんともいえない気持ちになるからです。

例えば、相手が急に絵文字やスタンプを使わなくなると「冷たくなった」「怒っているのかな」と感じることがありますが、特に思い当たることがないのなら、あなたのせいではない可能性が高いです。

相手が忙しくて余裕がないだけのこともありますし、優しいあなたに八つ当たりしているだけのこともあります。

そのほか、親しくなったからこそ、絵文字やスタンプを使わなくなる人もいます。心理テクニックの一つとして、相手の気を引くために「あえて」そっけないメッセージを送る人もいます。

このように、**絵文字やスタンプは、相手側の事情で使ったり使わなかったりすることがほとんど**なのです。

だから、相手からの反応が冷たいと感じても、心配しないでおきましょう。モヤモヤしたり不安になったりした時こそ、「不安になってしまうけど、私は何も悪いことをしていない」と自分自身に教えてあげてくださいね。

相手の機嫌まで、あなた一人が背負わなくても大丈夫ですよ。

5

友達の充実した投稿に嫉妬してしまう自分が嫌です。

楽しそうだったり、幸せそうだったり、人に恵まれていたり、理想的な生活をしていたり……。友達のキラキラした投稿を見て、嫉妬心が出ることがあります。そんな自分が嫌になったり、落ち込んだりすることもあるかもしれませんね。

でも、落ち込まなくても大丈夫。充実した投稿ばかりを一方的に見せられるのは、あなたの話を一切聞かない相手から自慢話だけを延々と聞かされるようなものです。だからむしろ、この状況でモヤモヤしない人の方が珍しいです。

嫉妬する自分が嫌になることがあるかもしれませんが、そんなに自分に厳しくしないでおきましょう。

どう思われるかが気になるから表立って言えないだけで、誰でも嫉妬することはあります。嫉妬するのは良くないとお説教する人ほど、実は嫉妬しやすいことに悩んでいる……というのもよくある話です。

だから、嫉妬するのが嫌だと自分の気持ちを否定せず、「嫌だと思うような投稿なんだ」「自慢投稿が嫌なんだ」と、自分の感じたことをそのまま肯定してみてください。自分自身にではなく、相手に対して「嫌だ」という気持ちを向けてみてください。

うらやましいと思うような投稿を相手が一生懸命に作って、それを見せられているのですから、嫉妬するのが自然な反応です。それなのに嫉妬する自分を責めてしまっては、あなたがかわいそうです。

「もう見たくない」と思うような投稿は、見なくてもいいのですよ。友達だから見なければいけない、ということはありません。何を投稿するのかは相手の自由ですが、それを見るかどうかはあなたの自由です。

見ない理由なんて、嫌だからで十分。**嫉妬しないように頑張るよりも、嫉妬させてくるような人たちの投稿を見ない方が、ずっとラクです。**

もしも、見たくないのに気になって見てしまったり、見たくないのに何かしら反応をしなければいけなかったりするのなら、嫉妬心が出ることを自分に許してあげてください。

嫉妬するように作られた投稿を見るのですから、嫉妬して当然だと自分の味方になってあげてくださいね。

6

SNSアカウントを作ったり
消したりを繰り返す友達に
モヤモヤしてしまいます。

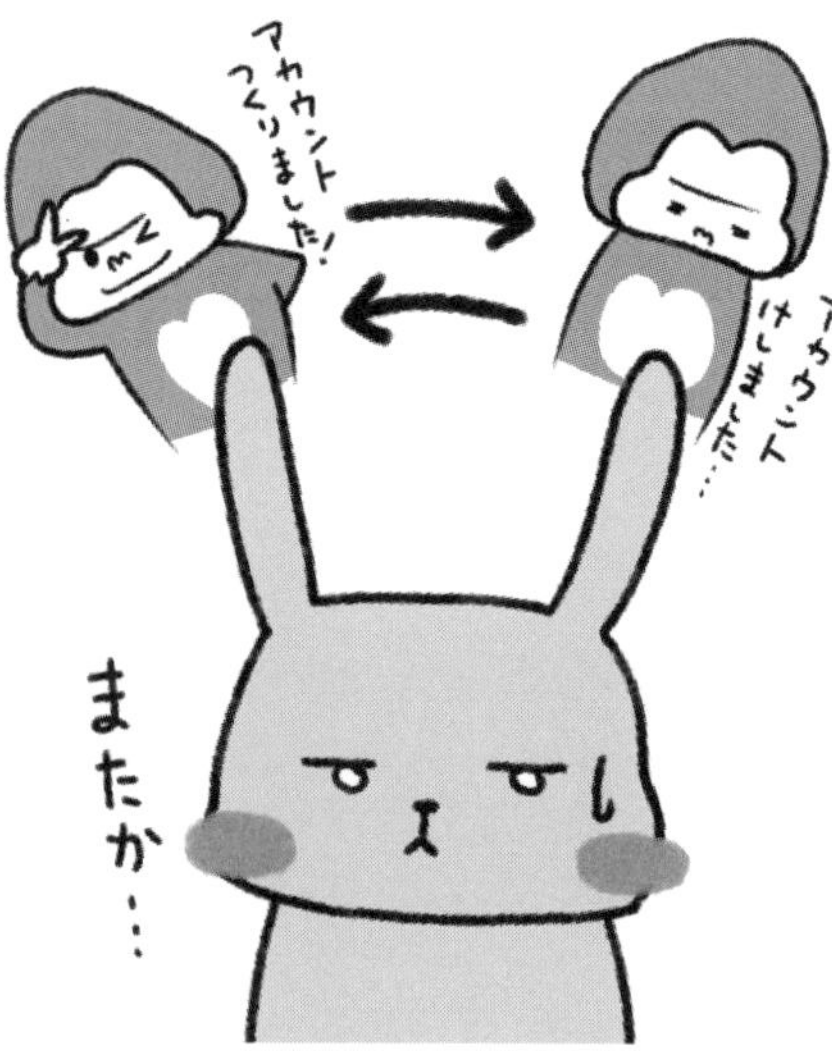

SNSのアカウントを作ったり消したりを繰り返す友達に、モヤモヤすることがあります。それも頻繁に対応しなければいけないとなれば、「またか」とうんざりしたり、「今フォローしても、どうせまたフォローし直さなければいけないんだろうな」と面倒に感じたりすることもあるかもしれませんね。でも、あなたの貴重な時間を相手の都合で消費されるのですから、そう感じるのは当然のことです。

「かまってちゃんなだけ」「嫌なら放っておけばいい」とアドバイスされることもありますが、相手が友達となると、対応に悩むこともありますよね。「それができれば悩んでない！」と反論したくなることもあるでしょう。

さて、突然ですが、あなたをモヤモヤさせる相手は、どのような理由でアカウントを消したり作ったりしていると思いますか？

想像で構いませんので、少し考えてみてくださいね。
あなたが今感じているモヤモヤを消すためには、あなたが「何に」モヤモヤしているのかを知ることが大切だからです。

この「何に」の正体は、あなたの想像の中に隠されています。
想像は、事実とは限りません。でも、今回のような相手にしか答えが分からないものにおいては、想像が現実に近い形であなたの心に影響を及ぼします。「きっとこんな理由だろう」という自分の想像が、相手へのモヤモヤを作り出すからです。

例えば、「アカウントを消した理由を聞いてほしいんだろうな」「アカウントを消したことを心配してほしいんだろうな」と想像して、モヤモヤすることがあります。

これは、遠回しに相手にコントロールされているような不快感を味わうからです。さらには、聞きたくもない話を聞かなければいけない、というプレッシャーを感じることもあります。

この場合のモヤモヤの正体は、やりたくもないことを強制させられていること。やりたくないのに「やらなければいけない」と思わせる何かが、あなたをモヤモヤさせています。

この気持ちを解消するために必要なのは、**「友達だからこそ、反応しないことがあっていい」という新しい選択肢を増やす**ことです。

そもそも、あなたが反応しなければ終わってしまうような友達関係は長続きしません。その関係は、あなたの我慢や努力によって、ギリギリ成り立っているだけだからです。

反応してほしくて行動するのは相手の自由ですが、反応するかどうかはあなたの自由です。あなただけが従い続ける関係は、あなたへの負担が大きすぎます。あまりに不公平です。

反応してあげないとかわいそうかなと頭をよぎった時には、「したくもないことをさせられる私だってかわいそうだ」ということを思い出してください。

反応しないと相手が不機嫌になるのではと不安になった時には、「やりたくないことをして、自分が不機嫌になるよりもいい」と思ってみてください。

相手のワガママのために、そうまでしてあなたの心や時間をすり減らさないでくださいね。

アカウントを新たにフォローするのが面倒だと感じるような時には、そのまま放っておいても大丈夫。

「頻繁にアカウントを作ったり消したりするような人だから、どうせまた連絡がくるだろう」「フォローするのは、いつでもできる」と思っておきましょう。

基本的にあなたから連絡することがないなら、そのままにしておいても問題ありません。あなたの連絡先が変わらない限り、相手から連絡することは可能だからです。

大切なのは、相手のペースに合わせないでおくこと。相手の新しいアカウントをフォローするかどうかは、あなたが決めていいのです。

あなたのペースで行動することで、相手に振り回されているという感覚がなくなると、モヤモヤしにくくなりますよ。

7

恋人が元恋人とSNSの相互フォローをしているのを見つけてしまいました。

彼氏が元カノと相互フォローをしていたり、彼女が元カレと相互フォローをしていたりすることがあります。「未練があるのだろうか」「私の知らないところで連絡を取っているのだろうか」などと想像すると、モヤモヤしてしまいますよね。

でも、「なぜ」について考えるのは、いったんお休みしましょう。相手のことを理解しようと考えすぎてしまうと、自分の気持ちが後回しになってしまうからです。**どんな理由で相手が相互フォローをしているかよりも、今の状態をあなたがどう感じているかの方が大切**です。

だから、相手にどのような理由があったとしても、自分の気持ちを我慢し過ぎないでください。相手を理解しようと思う人こそ、自分の気持ちも理解してあげてください。「嫌なものは嫌」と、思っていいです。

ただし、今すぐ相手に「嫌だ」と伝えるかどうかは、あなた次第。伝えることにはメリットもありますが、デメリットもあるからです。

メリットは、相互フォローをやめてくれる可能性があること。あなたが嫌だと伝えれば、フォローを外してくれる可能性もあります。

デメリットは、あなたが傷つけられてしまうリスクがあること。相手の性格によっては、「そんなことくらいで」「うるさいなぁ」と否定的なことを言われてしまうかもしれません。監視されているようで嫌だと感じて、あなたの知らない別アカウントを作ってしまう可能性もあります。

メリットとデメリットの大きさは、恋人との関係性や相手の性格によって変わりますから、**言うべきかどうか迷った時には、「言うメリット・言うデ**

メリット」を比較してみてください。

どうしたらいいかハッキリ答えが出ない時は、あえて泳がせておくのも一つです。双方のアカウントが見られる状態であれば、あなたが状況を把握することができるからです。

人はどうにもならない状況に不安を感じやすいですから、あくまで主導権は自分にあって、状況も把握できていると思ってみてくださいね。

8

あまり仲良くない人から
フォロー申請がきました。
承認しようか悩んでいます。

あまり仲良くない人からフォロー申請がきた時に、どうするべきか悩むことがあります。見られたくない投稿がある、申請された意図が分からない、なんとなく嫌など、いろいろな理由があるかもしれませんね。

でも実は、「どうするべきか」を悩む時点で、あなたの中で答えは出ています。

あなたが仲良くなりたいような相手からフォロー申請がきたのなら、こんなにも悩んだりしないからです。「申請がきた！」と驚いたり嬉しくなったり、「なんで私に申請するんだろう？」と多少疑問に思うことはあっても、承認するかどうかで深く悩むことはありません。

つまり、**承認すべきかどうか悩むのは、本音では承認したくない時**なのです。

だからこそ、承認するかどうか迷っているような段階なら、そのままにしておくことをおすすめします。とりあえず承認待ち状態にしておいて、自分のタイミング・自分の気分で、どうするか決めましょう。あなたが「承認したくない」「これ以上仲良くなりたくない」と思うような相手なら、申請を拒否しても全く問題ありません。

ただし、フォローリクエストを拒否すると、相手がフォローを拒否されたことに気づく可能性があります。

拒否されたことを知られるのも気まずい……と思うような相手の場合は、あえて拒否せず何もしないでおきましょう。申請を放置したままにしておけば、相手側の表示は「フォロー許可待ち」のままです。直接相手があなたに何か言ってこない限り、承認を催促されるようなことはありません。

もし、直接何か言われたとしても、「気づかなかった」「見ていなかった」とごまかして、やり過ごすこともできます。

今より仲良くなってしまった後に離れようとしたり、「やっぱりフォロー許可しなければよかった」と後悔してブロックしたりする方が大きなトラブルに発展しやすいものです。

あまり仲良くない今だからこそ、この時点でスルーしておく方が、これ以上悩まなくて済みますよ。

第2章

仕事・職場に関する SNSのモヤモヤ

1

親しくない上司や同僚から
フォローされました。
フォロー返しするべきでしょうか？

上司や同僚など、あまり親しくない人からSNSをフォローされることがありります。「え、なんで?」と戸惑うこともあれば、不快に感じることもあるかもしれませんね。

モヤモヤした時には、なぜフォローされたのかについて可能性を探ってみましょう。この時に感じるモヤモヤの原因は、フォローしてきた相手の目的が分からないことだからです。

可能性1 あなたのことを知りたい

仲良くなりたい、趣味が合いそう、投稿が面白い、なんとなく気になるといった理由でフォローしているケースです。

その時の気分で気軽にフォローすることが多いため、気がついた時にはなぜかフォローを外されていた……ということも珍しくありません。

フォローしている人がコロコロ変わったり、フォロー数が増減したりする人に多い傾向です。

可能性2 あなたを監視したい

あなたがどんな投稿をしているのか、どんな生活をしているのかが気になってフォローしているケースです。

あなたへの興味からフォローしているので、投稿を細かくチェックしますが、見るだけで投稿に反応しないことが多いです。

それほど仲良くない人からなぜかフォローされて、あなたの投稿になんの反応も返してこないようなら、この可能性が高いです。

可能性3 義務感からのフォロー

「フォローした方がいい」という、義務感からフォローしているケースです。

例えば、上司向けのノウハウ本では、「部下に興味を持っていることをアピールすることが重要」「仕事以外のコミュニケーションが大事」などと書かれていることがあります。

それ以外には、「同じ会社に勤めているから」「知り合いは多い方がいいと聞いたから」「共通点があるから」など、「なんとなくフォローした方がよさそうだから」という理由のこともあります。

義務感からフォローした場合は、「投稿に反応しなければいけない」という心理が働きやすく、投稿するたびに何かしらの反応があることが多いです。「仲良くもないのに、なんで『いいね』されるんだろう」と疑問に感じた時には、この可能性についても思い出してみてくださいね。

さて、いかがでしょうか。しっくりくるような理由はありましたか？

ここで相手側の理由についてお話ししたのは、あなたのモヤモヤを少しでも軽くするためです。だから、相手側の理由が分かったからといって、必ずしも受け入れる必要はありません。嫌なものは嫌ですし、不快なものは不快ですから。

相手へのフォローを返すかどうか迷うような時には、その相手と「今よりも仲良くなりたいかどうか」を考えてみてください。今より仲良くなりたいと思えば、あなたからもフォローを返すといいでしょう。

でも、もし今以上の関係を望まないなら、あなたからフォローを返す必要はありません。やっぱり嫌だなと思ってフォローを外したり、ブロックしたりすると、後々トラブルになりやすいですから、焦りや義務感から相手にフォローを返さないでおきましょう。

決断に迷う時というのは、「したくない」方向に気持ちが動いていることが多いものです。だからこそ、**迷った時には、自分の気持ちに正直になってみてください。**

フォローを返すかどうか迷うような相手には、無理にフォローを返さなくて大丈夫です。むしろ、フォローを返さない方が、物事が穏便に運ぶこともあるということを思い出してくださいね。

2

業務時間外や休日に、
上司から
LINEで業務指示が来ます。

業務時間外に、上司からＬＩＮＥで業務指示がくることに悩むことがあります。そのことを誰かに相談した時に、「たかがＬＩＮＥくらい」「気にしすぎ」「仕事の意識が低い」と言われることがありますが、部下にとってみればたかがＬＩＮＥどころではありません。

業務時間外に上司からＬＩＮＥが来れば、嫌でも仕事のことを考えてしまいます。退勤後にＬＩＮＥが来れば、家に帰っても仕事のことが頭から離れなくなります。休日にＬＩＮＥが来れば、楽しいひと時が一瞬で消えてしまうこともあります。ＬＩＮＥを見ないと決めたとしても、「またくるかも」という不安が続き、気が休まりません。

誰からどのようなメッセージがくるかというのは、心の面でとても大きな問題なのです。

だから、あなたが気にしすぎなのではありません。

上司からLINEがくるという事実、気になるようなことが現実に起こっているのです。あなた自身も、気にせずに済むなら気にしたくないはずです。


仕事の意識が低いから、このように思うのでもありません。

業務時間外の仕事を求めるのは、上司の都合です。急用ならまだしも、休日明けでもいいような内容だったり、自分が対応しなくてもいいような内容だったりすれば、うんざりして当然です。


本来なら、上司よりもさらに立場が上の人から「業務時間外の指示を送ってはいけない」と上司に直接指導してもらいたいところですが、現実には叶わないことが多いのではと思います。

でも、だからこそ、今できる手段を駆使して、あなたの時間を守っていきましょう。

上司から業務時間外の連絡が来た時の対処法は、主に2つあります。

1 通知をオフにしてメッセージを見ないようにする

業務時間外や休日は、返信しないと自分の中で決めてしまいます。

無視するのは怖いかもしれませんが、最低でも3回は無視を貫いてみましょう。

心理学的にみても、たった1回だけ行動するよりも、3回続けて行動した方が、効果が出やすいことが分かっています。

2 「今から予定があるので、できません」とはっきり断る

上司も人間ですから、連絡しやすい人もいれば、連絡しにくい人もいます。

自分に逆らわない人、自分を攻撃してこない人、自分の要求を聞いてくれ

る人を選んで連絡をします。

つまり、あなたに業務外の連絡がくるということは、「あなたには連絡をしてもいい」と上司が判断しているということです。

「無視したり断ったりできれば、こんなに苦労していない！」と思う人もいるかもしれませんが、この2つは、そんな人にこそ試してみてほしい方法です。

このように思うのは、これまで上司の指示を我慢して受け入れてきた人だからです。**この状況から抜け出すためには、連絡をしやすい人から「連絡をしにくい人」に変わるしかありません。**

365日働き続けられないからこそ、休日があります。

24時間働き続けられないからこそ、業務時間が定められています。業務時間外や休日は、心と体を休めるために必要な「自分のための時間」です。

退勤後や休日に、上司からの要求を断るのは悪いことではありません。無視したり断ったりすることは、今の自分に必要なことなのだと思ってみてくださいね。

3

社内チャットですぐにレスをしなければいけないことへのプレッシャーを感じます。

「時間や場所に関係なく、いつでもコミュニケーションを取れる」
「リアルタイムでやり取りができる」
「気軽に連絡し合える」

これらは、会社側がチャットツールを導入するメリットとして挙げているものの一例です。ですが最近では、チャットならではのメリットに苦しむ人が増えています。

例えば、時間や場所に関係なく、いつでもコミュニケーションが取れるからこそ、どこにいても、何をしていても気が休まりません。
リアルタイムでやり取りできるからこそ、すぐにリアクションしなければいけないと責任を感じることもあります。

気軽に連絡し合えるからこそ、自分も何か反応しなければとプレッシャーを感じることもあります。

厄介なのは、チャットツールが当たり前になっているからこそ、自分が感じている不満を周囲に打ち明けにくいことです。勇気を出して打ち明けたところで、「それくらい」「みんなやってる」「どこも一緒」「我慢すべき」と否定的な意見が返ってくることも多いです。そんなことを言われてしまうと、ますます辛くなってしまいますよね。

実際のところは、チャットにおける絶対的なルールというものは存在しません。即レスすべきだという人もいれば、1時間以内に返信すればいいという人、その日のうちに返せば十分だという人までさまざまです。緊急なら電話すればいいのだから、すぐに返事がなくても気にならないという人もいます。

もしも、**会社内でチャットツールのルールが明確化されていないのであれば、マイルールをつくっておくことをおすすめ**します。「自分への質問なら1時間以内に返信、それ以外は今日中に返せばOK」「既読しても、即レスしなくてOK」など、マイルールをつくっておくことで、すぐに返事をしなければというプレッシャーが和らぐからです。

会社にいる以上、チャットツールを使わないわけにもいかない……という人がほとんどなのではと思います。「こうするべき」にとらわれすぎず、自分に無理のない使い方を見つけてみてくださいね。

4

元同僚や取引先などのフォローを外してもいいですか？

仕事の関係上、SNSで繋がっているけれど、特に親しいわけでもない。そんな人たちのフォローを外すべきかどうか、悩むことがあります。

一番トラブルになりにくいのは、あなたからはフォローを外さずに、そのままにしておくことです。フォローを外したい場合にも、相手からフォローを外された後にあなたがフォローを外せば、相手から責められるようなことはありません。

……というのが正論ですが、**場合によっては、自分からフォローを外してもいい**というのが、カウンセラーとしての本音です。

あなたがこの先も繋がっていたいような人なら、フォローを外すかどうかで悩んだりしないからです。フォローを外すかどうか迷う時点で、「フォローを外したい」という気持ちが心のどこかにあります。

相手の気分を害さないようにフォローを外さないままにしておくのもいいのですが、時には自分のためにフォローを外した方がいいこともあります。

思い出すだけで嫌な気分になるような相手なら、フォローを外すことで心がスッキリします。SNSを開くたび、相手の名前を見なくて済むからです。相手を意識する回数が減れば、嫌なことも思い出さなくなっていきます。

「苦手な人だから」「もう関わりたくない」というのも、フォローを外すための十分な理由です。仕事上の付き合いで仕方なく付き合っていただけであれば、関係が途切れてもあなたにデメリットはありません。

「今日までよく耐えた！」と、自分の頑張りを認めた上で、フォローを外してみてくださいね。苦手な人との関係を自分から断ったという事実は、あなたの自信になります。さらには、苦手な人ともう関わらなくていいという安心感も得られます。

フォローを外すかどうか迷った時には、相手側の事情や気持ちを考えすぎないでおきましょう。その代わりに、自分の事情や気持ちを考えてみてください。

迷った時こそ、あなたにとって、メリットの大きい選択をしてくださいね。

5

業務に関係のない話をやたらとチャットしてくる人がいて困っています。

仕事中にやたらとチャットがくると、仕事に集中できなくてモヤモヤしますよね。それも業務に関係のない話となれば、なおさらです。相手がチャットを送るのをやめてくれれば済む話なのですが、「やめてほしい」とは言い出しにくいものです。

しかも、「業務に関係ないチャットは送らないで」と勇気を出して言ったところで、相手がやめてくれるとは限りません。そのような配慮ができる人であれば、そもそもチャットをあなたに送り続けるようなことはないからです。

結論をお伝えすると、**あなたが業務に関係のない話をしたくないと思えば、チャットに返事をする必要はありません。**業務時間は、あくまで仕事をするための時間だからです。

この結論を聞いた時に、「そうだよね。返事をしなくていいよね」と納得できた人は、読むのはここまでで大丈夫。自分の気持ちに従って、返事をしないことを実践してみてくださいね。

ここから先に書くことは、この結論にモヤモヤしたり、納得できなかったりするあなたにお伝えしたいことです。

モヤモヤしたり納得できなかったりするなら、「やりたくないけど、やらなくてはいけない」と思わせる何かが、あなたの心の中でブレーキをかけています。このブレーキを外すのに一番効果的なのが、「業務に関係ないチャットに返事をしない」という行動を正当化することです。

例えば次の3つのように、考えることができます。

1 自分を守るために必要な無視

悪いことをしているようで気が引けるという人もいますが、これは「自分を守るための無視」です。意地悪な気持ちから相手を無視しているのではありません。仕事に集中するために、仕方なく無視をしているだけです。

相手を傷つけないために我慢して返事を続けていたら、あなたの心と体が傷ついてしまいます。自分を傷つけてでも大切にしたい相手なのかどうか、考えてみてくださいね。

2 厄介な相手だからこそ、今のうちに無視

「無視したら相手に何か言われるのでは」と怖くなることがあるかもしれませんが、そのような人というのは、いずれあなたに文句を言います。何も言われないようにするには、あなたが我慢して、この先ずっと相手に合わせ続

けるしかありません。それが無理だと感じるなら、それこそ今のうちに無視しておく方が安全です。

3 自分の評価を守るための無視

相手との関係性が悪くなるのではと不安になった時には、社内における自分の評価を下げてまでも、大切にしたい相手なのかどうかを考えてみてください。

というのも、社内チャットツールの普及とともに「業務時間に私的なチャットをする人がいて困っている」という、上司からの不満が増えているからなのです。業務に関係ないチャットの相手をしていたら、あなたも同類扱いされてしまうリスクがあります。

「業務に関係のないチャットに返事をしない、という自分の行動は正しい」

と信じることができれば、業務に関係のないチャットが来てもモヤモヤしにくくなります。チャットが来たとしても、罪悪感なく無視できるようになるからです。

業務をこなすだけでも大変なのですから、業務に関係のない面倒なことは、どんどん減らしていきましょう。

6

上司からメッセージで
頻繁に飲み会の誘いが来て
対応に困っています。

上司との飲み会は、業務外の時間です。だから、行きたいと思えば行ったらいいし、行きたくないと思えば行かなくていいのですが、現実にはそう簡単には断れないですよね。

「行きたくない」という気持ちと「行った方がいいのでは」という真逆の気持ちが綱引きして、飲み会に行くべきかどうか、ものすごく悩んでしまうこともあるでしょう。

上司との飲み会に参加するメリットとして一般的に言われているのは、次の5つです。

1 上司との仲が深まり、仕事が円滑に進めやすくなる
2 人脈が広がる
3 上司の考えをより深く理解できる

4　奢《おご》ってもらえる
5　自分のことを相談できる

もしもあなたが、「上司との飲み会が苦手だけど、行けるようになりたい！」と思うなら、飲み会に参加する5つのメリットを自分の中で膨らませてみましょう。飲み会に行くデメリットよりも、飲み会に行くメリットが上回れば、飲み会の誘いが来ても悩みにくくなるからです。

それとは反対に、「上司との飲み会が苦手で、できれば行きたくない！」と思うなら、行かなくていい理由を自分の中で強化していきましょう。そのためには、飲み会に参加するメリットに、自分なりに反論する方法がおすすめです。

例えば、次のように反論することができます。

1 上司との仲が深まり、仕事が円滑に進めやすくなる

↓飲み会に参加しないと深まらないような仲なら、別に深めなくていい。飲み会に行かないと仕事が円滑に進められないような上司と、仲を深めない方がいい。

2 人脈が広がる

↓自分にメリットのある人脈が広がるとは限らない。類は友を呼ぶというから、上司に似たタイプの人脈が広がるだけかもしれない。そんな人脈は自分に必要ない。

3 上司の考えをより深く理解できる

→苦手な飲み会に参加してまで、理解したいような上司だろうか。その上司は自分の理想の人間だろうか。上司のような人になりたいだろうか。そもそも上司は、自分のことを理解しようとしてくれているのだろうか。

4 奢《おご》ってもらえる

→奢ってもらったら、感謝しなければいけない。「奢ってやったのに」と恩に着せられるかもしれない。奢ってもらう金額以上のストレスを感じるリスクがある。

5 自分のことを相談できる

→自分のことを相談したいと思えるような、信頼できる上司だろうか。否定せず、あなたの話を聞いてくれる上司だろうか。相談したとして、逆に傷つけられるリスクはないだろうか。

このように、飲み会に行かない理由について考え、「行かない」という行動を自分の中で正当化することができれば、それほど悩まなくなります。**断るデメリットよりも、無理して行くデメリットの方が大きいと、自分の中で納得できる**からです。

「飲み会でしか得られないものがある」と言われることがありますが、飲み会で失うもの（自分の時間、お金、体力）もあります。「行かない」という選択に自信を持ちたい時には、行かない理由を自分の中で強く正当化してみてくださいね。

7

上司への返信に、スタンプや絵文字は使ってもいいですか？

自分の感情を手軽に表現できるスタンプや絵文字ですが、上司に使うかどうかを迷うことがあります。

ビジネス系の本には上司には基本的に使わない方がいいと書かれていることが多いですが、コミュニケーション系の本には「関係性によっては使ってもいい」「絵文字を使って気持ちを伝えた方がいい」と書かれていることもありますし、SNS上でも「使う派」「使わない派」で意見は真っ二つに分かれます。

実のところ、この悩みには正解がありません。**スタンプや絵文字をどう受け取るのかは、相手の価値観に委ねられている**からです。

「目上の人に絵文字を使うなんて失礼だ」という上司もいれば、絵文字を使ったところで特に何も思わない上司もいます。絵文字を使うことに慣れている上司の場合は、テキストだけの返信に「そっけないな」「冷たいな」と感じることもあります。

失礼になりにくいのは、上司に合わせておくことです。

例えば、スタンプや絵文字を使わない上司には、こちら側も使わないでおきましょう。ビジネス上のやり取りにおいては、スタンプや絵文字が不要だという考え方がまだまだ根強いからです。

部下は気を遣ってスタンプや絵文字を使ったのに、それが裏目に出て「バカにしているのか」「礼儀がなっていない」と上司を不快にさせてしまうこともあります。

それとは反対に、上司からスタンプや絵文字が頻繁に送られてくるのであれば、返信で使っても基本的には問題ありません。

ただし、使う絵文字には気をつけましょう。「部下からの意味の分からない絵文字にどう対応すればいいか迷う」「不快な絵文字がある」という上司側の意見もありますから、上司が普段使用しているものと同じ絵文字を使っておくと安心です。

スタンプを使う場合は、ラフすぎないものがいいでしょう。「承知いたしました」「よろしくお願いいたします」など、敬語タイプのビジネス用スタンプを使えば、相手を不快にさせにくいからです。

迷った時には、上司の雰囲気に合わせてみてくださいね。これさえ守っておけば、上司への返信で悩むことが減るはずです。

8

取引先からLINEの交換を
求められたら
教えなければいけないでしょうか？

取引先の人から、LINEの交換を求められることがあります。仕事専用のスマホが支給されているならまだしも、「プライベートで使っているスマホでLINEを交換するのは嫌だなぁ」と感じることもあるでしょう。

この状況であなたが優先すべきは、自分の本音です。教えなくてはいけないのかと悩むなら、「この人にLINEを教えたくない」というのがあなたの本音です。親しくなりたいような素敵な相手なら、悩むどころか「やった！」と嬉しくなるはずです。

相手が苦手なタイプの人だったり、対応が面倒だと感じたり、プライベートと仕事を分けたいという人もいるでしょう。ですが、教えたくない理由がなんであれ、あなたが教えたくないと思うなら、教えなくていいのです。

「仕事上のやり取りをしたいだけなのに」と、取引先から不満を言われることもあるかもしれませんが、プライベート用のスマホでＬＩＮＥの交換をしてしまうと業務時間外にも連絡されかねません。土日祝日関係なく仕事の連絡が来たり、業務に関係ないプライベートなメッセージがきたりする可能性もあります。

相手への罪悪感や申し訳なさから断れないような時には、「仕事上のやり取りだからこそ、普段業務で使っているツールでやり取りした方がいい」と考えてみてくださいね。

断ってもしつこくＬＩＮＥを聞かれることもありますが、そのような相手とは、なおさらＬＩＮＥを交換すべきではありません。そういった人の多くは、仕事上の理由からではなく、あなたへの好意や興味からＬＩＮＥを交換しようとしているからです。事実、「仕事に全然関係のないプライベートなメッセージばかり来て困る」という相談が後を絶ちません。

仕事上の相手だからこそ、プライベートなLINEの交換は断ってもいいのだと、自分の決断を信じてください。相手に気を遣って仕方なくLINEを交換して、その後トラブルになる方が大変ですから。

断るのは気が引けるかもしれませんが、「後で大変な思いをするよりもいい」と自分に言い聞かせてみてくださいね。

第3章

世の中のできごとに関するSNSのモヤモヤ

1

他人に対する誹謗中傷コメントを見るとモヤモヤしてしまいます。

SNSで飛び交う攻撃的な言葉にドキッとしたり、「こんなこと言われたら辛いだろうな」と被害者の気持ちに寄り添ったり、「なんでこんな酷いことを書くんだろう」と加害者の心理を考えたり……。芸能人などに対する誹謗中傷コメントを見て、モヤモヤしたり、気分が塞ぎ込んでしまったりすることがあります。

「他人のことなんだから」「放っておけばいい」「気にしすぎ」と言われることもありますが、それができれば苦労しませんよね。

誹謗中傷コメントにモヤモヤする時は、思考が被害者に向いています。だから、被害者の気持ちについて考えれば考えるほど、まるで自分の悩みのように不安が膨らみます。自分だったらどう感じるかについて、過去の経験をもとに考え続けてしまうからです。

すると、誹謗中傷コメントを読めば読むほど、自分が誹謗中傷されているかのような心理状態に陥ります。実際に誹謗中傷されているのは自分ではないのに、心の中では自分が誹謗中傷されているかのような感覚になるからです。

でも、現実に攻撃されているのは自分ではないので、どうすることもできません。現実と心の状態とのギャップが、無意識に心のモヤモヤへとつながります。

このモヤモヤを解消するためには、「自分が誹謗中傷されているわけではない」ということを強く意識することが効果的です。

そのためには、誹謗中傷コメントを心の中でジャッジしてみてください。

書かれている内容に自分は同意できるのか、それとも同意できないのかを心の中で「○」「×」でジャッジするだけでOKです。誰かに言うわけではないので、遠慮せず、自分基準で判断してくださいね。

「このコメントには賛成できない」
「言いたいことは分かるけど、さすがに言い過ぎ」
「これはただのアンチ」

このようにコメントをジャッジすることで「自分が誹謗中傷されているわけではない」と脳が正しく理解できるので、モヤモヤは自然と消えていきますよ。

2

PR投稿されている商品は本当におすすめなんでしょうか?

SNSを開くと、PR投稿ばかりでうんざりしてしまう……という人が、ここ数年で増えています。応援しているアカウント、いつも見ているアカウントがPR投稿をしていると、何をどこまで信頼していいのか迷ってしまうこともあるかもしれませんね。

基本的には、**本当のおすすめ商品はPR投稿の中にはない**、と考えておくといいでしょう。

PR投稿は、テレビのCMや雑誌の広告と同じです。企業が自社の商品を宣伝するために、イメージに合いそうな人や、フォロワーの多い人たちに声をかけてPR投稿をしてもらいます。

投稿のために商品が無償提供されたり、投稿先のリンクから商品を購入すると売り上げの一部がもらえたり、投稿するだけでお金がもらえたりすることもあります。

つまりPR投稿は、ビジネスでの投稿なのです。

ビジネスとして引き受けているので、悪いことを正直に書くわけにはいきません。そんなことを書いてしまったら、今後はPR投稿の依頼が来なくなってしまうからです。

そのような理由から、悪いところを排除していいところだけを書いた「ものすごく良さそうなもの」に見えるPR投稿が、SNS上に溢れているというわけです。

では、PR投稿の商品はおすすめではないのか……というと、そうとも限りません。PR投稿は、自社の製品を知ってもらうための宣伝手段の一つだからです。PR投稿をする人の中には、自分がいいと思ったものだけを発信するというポリシーを持っている人もいます。

とはいえ、「無償提供されて使ってみたら良かったからPR投稿される商品」と「普段から使っているおすすめ商品の投稿」では、おすすめ度合いが全く違うような気がしますよね。

そのように考えるとやはり、本当のおすすめ商品はPR投稿の中にはない、と考えておく方がいいでしょう。

PR投稿は、「最近売り出している商品を知るツール」くらいに捉えておくと、モヤモヤしにくいですよ。

3

SNSで情報を見極めるのが難しくて、どれを信じていいのか分かりません。

スマホを開けば、わざわざ検索しなくても、いろいろな情報がひっきりなしに流れ込んできます。特にSNSは、あなたが興味がありそうなものを自動的にピックアップして表示するので、何を信じたらいいのか分からなくなってしまうこともあるでしょう。

あなたにとって適切な情報かどうかを見極めるためのポイントは、3つあります。

1 疑いながら読むこと

「これは全部本当のことかな?」「フェイクかな?」というように、疑いながら読んでみましょう。SNSで生計を立てている人の中には、「嘘でも何でもいいから注目されたい」という人がたくさんいるからです。

2 アカウントについて調べる

真偽の分からない情報を見つけたら、投稿しているアカウントをチェックしてみましょう。普段からどのような情報を発信しているのか、さらにはあなたが信じられるような情報を発信しているようなアカウントなのかどうかを調べてみてください。

3 ほかのツールを使って調べる

SNSメインで検索している人はインターネット検索を利用してみたり、本や雑誌などの情報も集めてみましょう。SNSは似たような情報が表示されやすく、表示される情報が偏りやすいからです。

情報の見分け方として3つのポイントをお伝えしましたが、食事をとりすぎるとお腹がいっぱいになって動けなくなってしまうように、情報も集めすぎると頭がパンクして混乱したり疲れたりしてしまいます。

だからこそ、何が正しいのか分からなくなった時には、いったん調べることをお休みするのも一つです。

休んでいる間に頭がスッキリしたり、情報を冷静に判断できるようになったり、「この情報は別にどうでもいいや」と思えることもあります。

情報が一方的に流れてくる時代だからこそ、入ってくる情報はあなたがコントロールしてくださいね。

4

『暗闇系の投稿』へのリアクションに悩んでしまいます。

読めないくらい小さな字で、長文の不満や愚痴が書かれた「暗闇系の投稿」を見た時。スタンプやコメントで何かしらの反応をした方がいいのか、それとも見るだけでスルーしていいのか……自分と何かしら繋がりのある相手の場合には、どう反応したらいいのか悩むことがあるかもしれませんね。

このような投稿にモヤモヤしないためには、どう対応するのかを自分の中で決めてしまうことです。どう対応するのかを自分の中で固めてしまえば、暗闇系の投稿を見てもモヤモヤしにくくなります。

……なのですが、**反応すべきかどうか悩むような時には、「反応しない方がいい」というのが私の本音**です。相手の投稿に反応したり優しい言葉をかけたりすると、今後もずっと反応することを求められてしまうからです。

暗闇系の投稿をする側の理由はいろいろありますが、その根っこにあるのは「自分のことを見てほしい」「気持ちを分かってほしい」「かまってほしい」という承認欲求です。この承認欲求は尽きることがなく、際限なく膨らみ続けます。

例えば、あなたが投稿に反応すれば、その時には相手の心は満たされます。「ありがとう」と、感謝されるかもしれません。でも、次に投稿された時に反応しないと、これまでの感謝は一瞬にして消えてしまいます。

相手の満たされない気持ちは、「なんで反応してくれないの!?」という怒りへと形を変えてあなたを攻撃することもあれば、「私のことなんてどうでもいいんだね」などと、あなたに罪悪感を抱かせるようなことを言うこともあります。

だからこそ、**暗闇系の投稿に反応するかどうか迷った時には、「反応しない」を選んでおくことをおすすめ**します。

「反応してほしいんだろうな」「かまってあげた方がいいかな」と相手の気持ちについて考えられるあなただからこそ、「毎回反応してあげたい相手?」「自分の時間を使ってまで、かまってあげたい?」と自分の気持ちを優先してあげてくださいね。

5

世の中の盛り上がりについていけない私は変ですか？

世の中が盛り上がっている時に、「ついていけないなぁ」と感じることがあります。世の中の雰囲気に疲れたり、話題に乗れずその場にいるのが嫌になったり、孤独を感じたりすることもあるでしょう。

でも、世の中の盛り上がりについていけなくてもいいのですよ。

周囲の話題に興味が持てなくても、何が楽しいのか理解できなくても、盛り上がるのが苦手でも、全く問題ありません。その人たちとは、興味のあるものが違うだけです。

とはいえ、このように頭では理解できたとしても、「変な風に思われないだろうか」と不安になったり、「なんで興味がないの?」「おかしい」などと心無い言葉を投げかけられてしまったりすることがあります。

でも、そんな時こそ、話を盛り上げようと頑張らないでおきましょう。世の中のイベントで盛り上がるタイプの人は、自分のことで精一杯。「あれが良かったよね」「感動したよね」などと、自分の気持ちを話して共感してもらいたい人がほとんどだからです。話を聞くよりも、話したい人の方が、圧倒的に多いのです。だから、あなたが無理してたくさん話すよりも、話を聞いてあげた方が相手は満足します。

周囲からどう思われるか不安になった時には、「興味の持てるものが違うだけ」ということを思い出してください。興味の有無に、正解も不正解もありません。

それにもかかわらず、興味のないことで盛り上がることを強制するような人とは「どうせ仲良くなることができない」と割り切ってしまうのもいいでしょう。

話の輪に入れず居心地が悪く感じる時期があるかもしれませんが、これは一時的なもので、いずれ過ぎ去ります。世の中のイベント事で盛り上がる人たちというのは、イベントが終わればおとなしくなることが多いからです。

「このモヤモヤも今だけだから」と、自分の心を安心させてあげてくださいね。

6

好きな芸能人がSNSを開設していないことにモヤモヤしてしまいます。

好きな芸能人をSNSで応援している人たちを見てうらやましくなったり、「なんでSNSを開設しないんだろう」と寂しくなったり……応援しているからこそのモヤモヤを抱えることがあります。

SNSの投稿が苦手だったり、プライベートを明かしたくなかったり、イメージダウンを避けるためだったり、事務所から禁止されていたりと、SNSをやらない理由はいろいろ考えられます。

ですが、それでもやっぱり「SNSをやってほしい！」と願う気持ちが溢れて止まらないこともありますよね。

そんな時には、**好きな芸能人が、SNSをやっていないからこそのメリットを自分なりに考えてみましょう。**

例えば……

- ＳＮＳをやっていないからこそ、プライベートなことが流出しにくい
- ＳＮＳをやっていないからこそ、イメージが守られている
- ＳＮＳをやっていないからこそ、好きでいられる

事実、好きな芸能人がＳＮＳを開設すれば、今とは違う悩みが生まれます。変な投稿をして炎上してしまわないかと心配になったり、あまり更新がないと「何かあったのでは」と気になったり、逆に更新が多すぎると「どうしたんだろう」と不安になったり、匂わせ投稿にモヤモヤしたり……。好きな人がＳＮＳをしているからこその悩みを抱える人もまた多いのです。

「ＳＮＳでコメントを届けたいのに」「ＳＮＳでも応援したいのに」とモヤモヤした時には、自分のＳＮＳでコメントを投稿するのもいいでしょう。

自分の名前や出演作品名でエゴサーチするという芸能人は少なくありませ

んから、もしかすると本人の目に留まることもあるかもしれません。

好きだからこそ生まれるモヤモヤは、行動することで楽しみに変えていけます。

モヤモヤした時こそ、自分のアカウントで好きな芸能人の良さをどんどん投稿してみてくださいね。ＳＮＳに投稿するのがためらわれるなら、心の中で応援し続けてみてください。

嫌なことでモヤモヤする時間を、好きな人のことを考える時間に変えてしまいましょう。

7

自分の思っていることと違うことが、世の中の正論となっているのを見るとモヤモヤします。

自分の思っていることと違う意見をSNSで見ると、「自分の考えがおかしいのでは」とモヤモヤすることがあるかもしれませんね。

その意見に「いいね」がたくさんついていたり、賛同するコメントがついていたりすると、「なんで?」とイライラすることもあるでしょう。

多数派の意見と自分の意見が違うと不安になりますが、みんなと思っていることが違ってもいいのですよ。

価値観や考え方は、育ってきた環境や性格によってガラリと変わります。そもそも、みんなが同じ意見を持つ世の中なら、人間関係でこんなにも悩まないし、傷つけあうこともないはずです。

何が正しいのかは、多数決では決められません。

ただ一つ言えるのは、**あなたが感じたものは、あなたにとって本物**だということ。あなたの思いは、あなたにとって事実だということです。
だから、多数派の意見と自分の意見が違う時こそ、自分の意見を信じてください。あなたがあなたの味方になってあげてください。

それでもモヤモヤが消えない時には、自分と同じような意見を持っている人を探してみましょう。
探すのは、現実の世界でもSNS上でも、どちらでも構いません。親しい人でもいいし、全く知らない誰かでもいいです。

自分と同じ思いを持っている人がいると分かれば、「自分がおかしいのでは」という不安はだんだん小さくなっていきます。一人ではないという安心感が得られることで、心のモヤモヤがスッキリ晴れていきます。

あなたを不安にさせるような情報を見ることはやめて、あなたが安心でき

るような情報をどんどん集めてみてください。

多数派の意見が目立ちやすいだけで、あなたと同じ意見を持っている人は必ずいます。自分がおかしいのではと不安になった時には、自分と同じ意見を持つ人の言葉を集めて、自分の心を守ってあげてくださいね。

8

他人についての事実とは異なる投稿を目にした時にモヤモヤしてしまいます。

他人についての事実とは異なる投稿を目にした時。今すぐ訂正すべきなのかという迷い、事実ではないことを知っているのに何もしないことへの罪悪感、なぜこのようなことを投稿するのかという怒りが入り混じって、なんとも言えない気持ちになることがあります。

でも、そんな時こそ深呼吸。

自分がなんとかしなければというプレッシャーは、ひとまず置いておきましょう。これは、あなたの問題ではないからです。

「何もしないのは見捨てるようでモヤモヤする」という人もいますが、SNSのトラブルにおいては、何もしないことが平和な解決となることもあります。

炎上投稿もその一つです。炎上投稿は、誰も反応しなければ「ただの投稿」です。人々が自分なりの思いを持って投稿に反応することで、大勢の目に触れて炎上します。

「自分は何か行動すべきなのでは」とモヤモヤした時は、何もしない方がいいこともあると、自分を安心させてあげてください。

そうすることで、行動しないことへの罪悪感を和らげることができます。

「何かしてあげたいのにどうしたらいいか分からない」とモヤモヤした時は、相手から頼まれたら手伝ってあげようと思ってみてください。そうすることで、これは相手の問題なのだと頭が理解でき、自分ごとのようにぐるぐると悩み続けなくて済みます。

事実とは異なることを拡散されたことにモヤモヤした時は、「だからこそ私は事実を信じる」と強く思ってみてください。**嘘を拡散する人がいるからこそ、あなたが知っている事実を信じてあげてください。**

自分を信じてくれる人がいるというのは、それだけで心強いものだからです。

SNSが生活の一部になった現代では、自分の身に降りかかるモヤモヤに対処するだけでも、心と体がヘトヘトになります。

だからこそ、他人のモヤモヤまで背負い過ぎないでくださいね。

第4章

自分に関する
SNSのモヤモヤ

1

返信のリアクションやスタンプに何を使うか迷ってしまいます。

誰かから、リアクションに悩むようなコメントやメッセージが届くことがあります。どう返事をしようかと考えているうちに、あっという間に時間が経ってしまい、モヤモヤした経験がある人も多いでしょう。

あなたもそのひとりなら、次の3つについて考えてみてください。

1 絶対に返信しなければいけない？

それほど仲が良くない相手や、見知らぬ人からのコメントやメッセージなら、スルーするのも一つです。

リアクションに困るようなことを送ってくるような相手というのは、今度も同じようなメッセージを送ってくる可能性が高いもの。このままやり取りを続けていたら、あなたの時間がどんどん奪われてしまいます。

「これ以上仲良くなると大変だから、あえて返信しない」「頑張って返信するほどのことではない」など、**自分の選択を後押しできる言葉を自分にかけてあげてくださいね。**

2 返事をするなら相手のテンションに合わせる

相手が自分の返信を見てどう思うかが気になる場合には、テンションを相手に合わせておけば安心です。

例えば、「はい」という返事一つにしても、「はい。」「はい！」「は〜い」「はい😊」では、相手に与える印象が全然違います。

でも、この時に何をどう感じるかは、個人差が大きなところです。「はい！」という表現を快い返事だとポジティブに受け取る人もいれば、キツい言い方だとネガティブに受け取る人もいます。

このような受け取り方のズレによるトラブルを避けるための答えは、相手からの返信に隠されています。人は無意識に、自分が「よい」と思う表現を使っているからです。その人がよく使う絵文字やスタンプ、文の表現（!、〜をよく使うなど）を真似するだけで、誤解は生じにくくなりますよ。

3 自分の返信にダメ出ししない

自分の返信に自信が持てない時には、相手に送ったメッセージを読み返さないことをおすすめします。自信がない時には、ネガティブな妄想が膨らみやすいからです。

すぐに返信できない自分が嫌になった時には、「迷っちゃうよね」「どう返せばいいか分からないよね」と、自分の味方になってあげてください。リアクションに困る内容を送ったのは相手なのですから、自分を責めないでおきましょう。

さらには、あなたの返信をどう受け取るかは相手次第です。あなたがどれだけ気を遣っても、その気遣いが伝わらないことはあります。あなたがどれだけ言葉を選んでも、相手を傷つけたり怒らせてしまったりすることもあります。

受け取り方が相手次第だからこそ、あなたがどれだけ考えて返信しても、うまくいくこともあれば、うまくいかないことがあるのです。だからこそ、すでに送ってしまった自分の返信には、ダメ出ししないでおきましょう。

相手からのメッセージにモヤモヤした時には、そのモヤモヤを自分に向けず、起こったできごと（モヤモヤするようなメッセージが届いたという事実）に向けてみてください。そうすることで、必要以上に自分を責めずに済みます。

自分を責めずに済むようになると、自分の送るメッセージに自信が持てるようになったり、相手がどう思うだろうかという不安も消えたりします。

ここで紹介した3つの事柄について考えてみるだけで、これまでよりも返信に時間がかからなくなったり、リアクションしにくいメッセージへのモヤモヤが早く消えていったりしますよ。

まずは、これらの事柄を意識することから、はじめてみてくださいね。

2

友達や知人との
フォロワー数の差に
落ち込んでしまいます。

他人とのフォロワー数や「いいね」の数を比べて、落ち込んでしまうことがあります。

誰かに相談した時に、「他人と比べなければいい」「気にしなければいい」と言われることもありますが、SNSはフォロワーや「いいね」などの「数」が見えるように作られた場所です。他人との数の差が気になるように作られた場所で「全く気にしないでおく」というのは、そもそも無茶な話です。

だから、**ほかの人とフォロワー数を比べたり、その差に落ち込んだりすることは、何もおかしなことではありません。**

落ち込んだ時には、自分の本音に耳を傾けてみてください。落ち込んだりモヤモヤしたりする時というのは、誰かに分かってほしい気持ちや、誰にも言えない気持ちが、あなたの中に隠れていることが多いからです。

「同時期に始めたのに」
「なんであの人ばっかり」
「私の方が頑張っているのに」

このようにして、何にそれほど落ち込んだのか、自分の本音を感じてみてください。

「うらやましい」という気持ちからくる妬《ねた》み、「自分なんて」「どうせ」という自信のなさ、「認めてほしい」という願い、結果が出せないことへの不安や焦り、「私だって頑張っているのに」というやるせなさ……。落ち込む原因はいろいろ考えられますが、どのような感情が出てきても否定しないでおきましょう。

自分の本音にダメ出しをすることなく、自分の感情をそのまま受け止めてあげてください。「そう思うよね」「そう感じて当然だよ」と、落ち込む理由に全力で共感してみてください。

あなたが自分にとって一番の理解者になることができれば、あなたが今感じているモヤモヤはだんだんと消えていきますよ。

3

SNS上に自分の悪口を書かれてしまいました。

「これって私のことだよね」と気づいてしまうような悪口が、SNSに投稿されてしまうことがあります。はっきり名前が書かれているわけではないけれど、見る人が見たら「あの人のことだよね」と分かるような内容が投稿されてしまうこともあります。

「直接言ってくれればいいのに」という相手への不信感、「そんなふうに思っていたんだ」という悲しみや苦しみ、さらには不特定多数の人が見るような場所に書かれたことの恥ずかしさやストレスで、頭の中がいっぱいになってしまうこともあるでしょう。

この時に感じるモヤモヤの正体は、「なぜ悪口をわざわざSNSに書くのか」という疑問や不快感です。人は、答えが分からない物事に不安を感じやすいのです。

ですが、ハッキリさせるために相手に直接「私のこと？」と聞くのはおすすめしません。勇気を出して聞いたところで、「そんなことないよ」「違う人のことだよ」と否定されるのが目に見えているからです。

正直に答えてくれるような人なら、SNSで名前を伏せて悪口を書くなどという卑怯な手段は取りません。

では、SNSで相手に仕返しするのはどうか……というと、これもおすすめできません。相手があなたの投稿をスクショして、それを晒《さら》して拡散される可能性があるからです。そうなってしまうと、被害者のはずのあなたが、加害者であるかのように仕立て上げられてしまいます。

一方的に傷つけられたのにスルーしてやり過ごすのは、とても苦しく、やりきれないことでしょう。相手に負けたようで、悔しいと感じる人もいるかもしれません。

でも、そんな時はこう考えてみてください。

「問いたださないのは、自分のため」

「スルーするのは、自分のため」

「悪口投稿でダメージを受けるのは、最終的には相手」

悪口を書いたことを問いたださないのは、自分のためです。「私の悪口を書いたよね？」と問いただした時に、相手に否定されてしまったら、嘘をつかれたという不信感が膨らみ、ますます不快になります。

スルーするのは、自分のためです。相手の卑怯な行為を許すためではなく、自分に不利になるリスクがあるからスルーするのです。相手の悪口に反応してしまったら、事情を知らない第三者から「やり返しているなら、どっちもどっち」と言われてしまうかもしれません。

悪口投稿でダメージを受けるのは、最終的には相手です。悪口を投稿している人を「好き！」「素敵！」と思う人はいません。だから、そういう人からは、どんどん人が離れていきます。その人と仲良くすれば、自分も同じような目に遭うという警戒心が働くからです。

正直なところ、陰であなたを攻撃するような人とは、この先仲良くしていくのは難しいです。何かあるたびに悪口を言われていたら、あなたの心がどんどんすり減っていきます。あなたが我慢し続けるか、相手と距離を取るのかのどちらかになるでしょう。

だからこそ、陰で悪口を言われてまでも続けたい関係なのか、そうまでして続けなくてもいい関係なのかを考えてみてくださいね。

悪口を書かれたと知ったあなたの心は、とても深く傷ついているはずです。考えたくないのに、そのことばかり考えてしまって、悲しいし悔しいし、訳が分からないし、腹が立つこともあるでしょう。

もうこれ以上、自分の心を傷つけてしまわないように、あなたが不利にならないような行動を選んでくださいね。

4

投稿するために
わざわざ行動する自分が
虚しくなります。

料理が美味しく見えるように時間をかけて撮影したり、おしゃれに見えるように何度も撮り直したり、「いいね」がたくさんつくように頑張って加工したり……。SNSに投稿するために時間をかけている自分自身に、モヤモヤすることがあるかもしれませんね。

この時感じるモヤモヤの正体は、主に2つあります。

1 実はやりたくない

人は、自分の行動と本音にギャップがあるとモヤモヤします。ここでいうところの行動は、投稿するために時間をかけていること。モヤモヤするということは行動に納得していない、つまり本音では「投稿するために時間をかけたくない」「そもそも投稿したくない」可能性が高いです。

この場合のモヤモヤ解消法は、本音に行動を合わせることです。投稿するために時間をかけている（行動）けれど、「そんなに頑張りたくない（本音）「投稿するのが面倒くさい（本音）」と思うなら、投稿する頻度を減らしたり、投稿するのをやめてしまったりするのも一つです。

あなたの場所、あなたのアカウントなのですから、自分の気分で自由に投稿していいのですよ。

2 周囲の反応が気になる

「投稿するために時間をかけている寂しい人」「自撮り加工がイタイ」など、SNSに画像を投稿する人へのネガティブなコメントや意見が原因となり、「私もどうせこう思われているんだろうな」というモヤモヤにつながることがあります。SNSに投稿したり、画像を加工したりするのは楽しいけれど、時々ふと投稿するための写真を撮っている自分にモヤモヤするなら、この可能性が高いです。

この場合のモヤモヤ解消法は、自分の味方になってあげることです。例えば、「投稿するために時間をかけている寂しい人」という批判は、妬みをごまかすために使う言葉です。「この人は、寂しい人なんだ」と思うことで、素敵な投稿へのうらやましさを紛らわせることができます。

でも、SNSは自分を表現して見てもらう場所です。そのために時間をかけて撮影したり加工したりするのは、寂しいことではありません。外出時におしゃれをするのと同じで、いい画像を投稿するために時間をかけるのは、おかしなことではありません。

このように、一口にモヤモヤといってもいろいろな原因がありますから、自分に合う方法でモヤモヤを解消してみてくださいね。

5

メッセージのやり取りをする時は毎回、自分の返信で終わらせなければいけないと思ってしまいます。

相手への気遣いや申し訳なさから、LINEなどのメッセージのやり取りを「自分から終わらせなければ」と思うことがあるかもしれません。
もし、あなたもその一人なら、自分の返信でメッセージを終わらせることが負担になっていないかどうかを振り返ってみてくださいね。

振り返ってみた時に、あなた自身がそのことに不満やストレスを感じていなければ、そのままでなんの問題もありません。

自分のためにとっている行動で、その行動に自分が満足できているのであれば、誰がなんと言おうとあなたにとって意味のあることだからです。

でも、自分の返信でメッセージを終わらせることが面倒だと感じていたり、そのことがストレスになっていたりするようなら、「自分の返信でメッセージを終わらせなくてもいい」という新しい選択肢を持つことをおすすめします。ストレスを感じるということは、「自分の返信で終わらせる」という行動が、自分のためになるどころか負担になっているからです。

「頭では理解できても、自分の返信で終わることにやっぱり申し訳なさを感じてしまう……」という時は、「最後の返信を相手に譲ろう」と考えてみてください。どのタイミングでメッセージを終わらせるかは、相手に任せてしまいましょう。

全国の10代〜60代の男女1000名を対象に行ったアンケートによると、65・4％もの人が「相手に気を遣って、自分からメッセージのやり取りを終えた経験がある」と回答しています。

あなたと同じような悩みを持つ人のために、あえて最後の返信を譲ってあげると思ってみてください。**「しない」のではなく、「相手に譲ってあげる」**

と考えてみてください。

申し訳なさを感じるのは、よくないことをしているという思いが働くからです。でも、返信を相手に譲るという風に捉え直すと、よくないことをしているという罪悪感が和らぎます。

自分の返信で終わらせなければと思う人の多くは、「相手が気を悪くするのではないか」「失礼なのではないか」「迷惑なのではないか」など、相手の気持ちを察するのが得意です。

気遣い上手のあなただからこそ、減らせるストレスはどんどん減らしてくださいね。

6

メッセージがきていても、
後で確認しようと
つい放置してしまいます。

「後で確認しよう」と思って、ついメッセージを放置してしまうことがあります。そんな自分が嫌になったり、誰かから責められてしまったりすることもあるかもしれませんね。

でも、それが原因で大きなトラブルに発展したりしていないのなら、そのままで大丈夫です。つい放置してしまうのには、何か理由があるはずだからです。あなたにとって重要なことだったり、大切な人からのメッセージだったりしたなら、「つい放置してしまう」ということは滅多に起こりません。

例えば、楽しみにしていたライブの抽選結果が届いたり、大好きな人からメッセージが届いたりしたら、「後で確認しよう」とは思いませんよね。ドキドキワクワクしながら、すぐに確認するのではと思います。

「たしかにそうだなぁ」と、ほんの少しでも納得できたなら、メッセージを放置してしまうとしても、自分を責める必要は全くありません。

あなたは、何でも放置しているわけではなく、必要な時には行動できる人だからです。大切にすべきものが、自分の中ではっきりしているのはいいことです。

もしかすると、「つい放置してしまう」のは、苦手な人や、それほど重要ではない人からのメッセージではありませんか？

この場合、本音では「確認したくない」「確認するのが面倒」と思っている可能性があります。放置してしまうあなたが悪いのではなく、すぐに返信したくないような相手・内容というだけです。だから、放置しても問題ないような相手なら、遠慮なくそのままにしておきましょう。

何かしら返事をしなければいけないような間柄なら、メッセージを確認するタイミングを決めてチェックするのも一つです。人の習性上、嫌なことは先延ばしにしやすいですから、**「チェック＋返信」をセットにしておくと安心です。**

世の中には、そのままにしておいて問題ないこともたくさんあります。「つい放置してしまう」と自分ばかりを責めずに、「放置してもいい」という選択肢を増やしてみてくださいね。全てのメッセージに対応しなければと思うと、あなたの時間がいくらあっても足りませんから。

7

SNSに投稿された
他人の失敗談を見ると
嬉しくなってしまいます。

「他人の失敗談を見て、嬉しくなってしまう」という相談が増えています。失敗した人を見て安心したり、「ざまあみろ」と思ったり、嬉しくなったり……そんなふうに思う自分に嫌気がさしたり、自己嫌悪に陥ったりすることがあるかもしれません。

もしも、あなたもその一人なら、**「おかしなことではない」「そう思ってもいい」と自分の気持ちをそのまま受け止めてみてください。**あなたの性格が悪いとか、考え方が良くないとか、そういうことではありません。物事を自分の中でどう受け止め、どう表現するかの違いです。

例えば、「仕事があるだけ感謝」「家があるだけ感謝」という考え方がありますが、これは仕事や家がない人と自分を比較して、自分の現状に感謝しようとしています。

このように、自分より下の人を見て安心したり喜んだりするのは、人間として自然な反応です。このような考え方が、落ち込んだ気持ちを回復させてくれることもあります。

だからこそ、自分の気持ちに許可を出してあげてください。「誰にでもある感情なのだから」「何もおかしなことではない」と割り切ってしまいましょう。自分の本音をごまかすよりも素直でいいと、自分の感情を認めてあげてください。

心の中はあなただけの場所ですから、何を思おうとあなたの自由です。心の中で思うだけなら、誰にも迷惑をかけないし、誰も傷つけません。失敗した相手を直接責めたり、馬鹿にしたり非難したりするよりも、心の中で嬉しくなる方がよっぽど優しいです。

他人の失敗を嬉しいと感じるのは、あなただけではありません。どう思われるか気になるから表立って言わないだけで、こっそりと喜んでいる人は大勢います。ワイドショーやゴシップ記事が世の中から消えてなくならないのが、なによりもの証拠です。

他人の失敗を嬉しいと思う自分を認めることができれば、それだけで自分の気持ちがラクになるのを実感できますよ。

8

自分へのコメントやフォローなど、全てに対応しようとして疲れてしまいます。

コメントへの返信、「いいね」返し、フォローしてくれた人へのお礼……その全てに対応しようとして、疲れてしまうことがあるかもしれませんね。はじめの頃は楽しめていたけれど、次第にやり取りが大変だと感じるようになることもあるでしょう。

突然ですが、あなたは次のように思うことがありますか？

- コメントをもらったら、コメントを返すべきだ
- 「いいね」されたら、自分も相手の投稿に「いいね」をすべきだ

なぜこのようなことを質問したかというと、疲れやストレスは、「やらなければいけない」「やるべきだ」という義務感から頑張っている場合に出やすいからなのです。もちろん、義務感を持つのがダメなのではありません。

でも、あなたが疲れているということは、これらの義務感が負担になっている可能性があります。

コメントをもらったら、返事をしなければいけないというルールはありません。相手が自由にコメントしてくるように、返事をするかどうかはあなたの自由です。

忙しくて返せない時、返事をする気分ではない時もあります。返事に困るようなコメントをもらうこともあるでしょう。

だからこそ、**コメントを返すかどうかは、その時のあなたの状態や気分で決めて大丈夫**。コメントを返さないことについて、みんなを納得させるような理由がなくてもいいのです。あなたのアカウントなのですから、あなたが自由に使いましょう。

「いいね」されたら、「いいね」を返さなければいけないというルールもありません。そもそも、「いいね」の使い方や捉え方は人によって違います。「良い」という意味で「いいね」を押す人、既読の意味で押す人、共感や応援の意味で押す人などさまざまです。

人の習性の一つに、人から何かしてもらうとお返ししたくなる「返報性の原理」というものがあります。「いいね」を返さないことに罪悪感を覚えた時には、「返報性の原理のせいでそう思うだけ。私は何も悪いことはしていない」と思い出してください。「いいね」を返さないことを自分の中で正当化してみてくださいね。

「しなければいけない」という義務感が、「しなくてもいいのかも」という感覚に変化していくことで、今よりも疲れにくくなりますよ。

おわりに

最後まで読んでいただき、ありがとうございます。

SNSについてのご相談で最も多いのは「私が悪いのでしょうか」「私はどうすればいいいですか」というものです。『おわりに』では、そのことについて少しお話しできればと思います。

まずは、「自分が悪いのでは」という質問について。

結論からお伝えすると、そのように悩む時点で、あなたのせいではない可能性が高いです。おそらく、あなたが思っているよりも、あなたは悪いことをしていません。相手に「あなたが悪い」と思い込まされていたり、子どもの頃からのクセで「自分が悪いのでは」と考えてしまったりしているだけなのかもしれません。

なぜこのようなことが言えるかというと、悪いことを平気でする人というのは、「悪いことをした」ということに悩まないからです。だから、この本を手に取った時点で、あなたはあなたが思っているよりも悪いことはしていません。あなたのせいではないことが、たくさんあるはずです。

次に、「私はどうすればいいですか」という質問について。
この本でも繰り返しお伝えしたように、**大切なのは自分の気持ちに正直になることです**。どんな気持ちも、「それでいい」「それが私の本音なのだから」と認めてあげてください。

SNSについてモヤモヤした時には、「何かを我慢していないだろうか」「無理していないだろうか」と振り返ってみてください。モヤモヤする時というのは、相手について考えすぎていることが多いからです。相手の気持ちだけではなく、「自分はどう思うのか」「本当はどうしたいのか」について考えて、迷った時こそ自分の考えを尊重してくださいね。

本音とは別の「こうするべきだ」という思いが強く出た時には、「本当にそうしたい？」「そうする方が、私にメリットはある？」と自問自答してみましょう。相手への対応に悩んだ時には、自分とってメリットの大きな選択をするのがモヤモヤしないための秘訣だからです。どのような選択をするにしても、「自分のため」だと納得することができればモヤモヤしにくくなります。

SNSで不安になった時こそ、自分が自分の味方になってあげてください。

さらに、「自分は悪くない」と心から信じることができたなら、あなたが感じているモヤモヤは消えていきます。これまでと同じようなできごとに遭遇しても、これまでのように悩んだりモヤモヤしたりしなくなります。

「自分の味方になんて、なれない」「自分の選択に自信が持てない」という人もいるかもしれませんが、心配しなくて大丈夫。

そんな時には、「自分のせいではない」「相手の問題だ」とあなたが納得できるページを開いてみてください。あなたの気持ちや考えを否定しない言葉を集めてみてください。

この繰り返しが、自分の選択を信じることにつながります。自分の選択を信じることができれば、自分の味方になることができます。

この本が、あなたの本音や選択を後押しすることができたなら、こんなに嬉しいことはありません。

心理カウンセラー　Ｐｏｃｈｅ

もやもや

著者紹介

Poche（ポッシュ）

人間関係、親子問題、機能不全家族専門の人気心理カウンセラー。

精神科クリニックに併設のカウンセリングルームで10年以上、心理カウンセラーとして勤務した後、独立。2021年より悩みを抱える方たちに「気づき」を得てもらうことを目的としたX（旧 Twitter）での発信を開始する。同時期、コロナ禍の影響でSNSに関する悩み相談が急増。これまでに数多くの悩みを解決に導いてきた。現在は、メールでのカウンセリングを中心に活動している。メールでのカウンセリング、対面カウンセリングともにいつも予約がいっぱいで、現在も数か月待ちとなっている。著書に『あなたはもう、自分のために生きていい』（ダイヤモンド社）、『あなたの「しんどい」をほぐす本』（KADOKAWA）などがある。

- HP：https://poche862.com/
- X（旧 Twitter）：@Poche77085714
- Instagram：@poche_counselor

SNSのモヤモヤとの上手《じょうず》なつきあい方《かた》　〈検印省略〉

2024年　4　月　23　日　第　1　刷発行

著　者——Poche（ポッシュ）
発行者——田賀井 弘毅

発行所——株式会社あさ出版
〒171-0022 東京都豊島区南池袋 2-9-9 第一池袋ホワイトビル 6F
電　話　03（3983）3225（販売）
　　　　03（3983）3227（編集）
F A X　03（3983）3226
U R L　http://www.asa21.com/
E-mail　info@asa21.com
印刷・製本　（株）シナノ

note　http://note.com/asapublishing/
facebook　http://www.facebook.com/asapublishing
X　http://twitter.com/asapublishing

ISBN978-4-86667-675-3 C0030